Pupi y la aventura de los cowboys

María Menéndez-Ponte

Ilustraciones de Javier Andrada

Pupi, Nachete, Rosy y las gemelas
han ido a jugar a casa de Coque.
Pupi está impresionado
por la cantidad de juguetes
que tiene, y es que Coque
es el niño más mimado del mundo.

www.
literatura**sm**
.com

A mi prima Carmen,
cómplice de tantas tardes de cine y palomitas.

Primera edición: mayo de 2008
Decimocuarta edición: marzo de 2014

Dirección editorial: Elsa Aguiar
Coordinación editorial: Berta Márquez

© del texto: María Menéndez-Ponte, 2008
© de las ilustraciones: Javier Andrada, 2008
© Ediciones SM, 2008
   Impresores, 2
   Urbanización Prado del Espino
   28660 Boadilla del Monte (Madrid)
   www.grupo-sm.com

ATENCIÓN AL CLIENTE
Tel.: 902 121 323
Fax: 902 241 222
e-mail: clientes@grupo-sm.com

ISBN: 978-84-675-2888-6
Depósito legal: M-20917-2010
Impreso en la UE / *Printed in EU*

Cuando va al supermercado,
su mamá le compra chucherías,
o una bolsa de ganchitos
para que no arme una pataleta.

Cuando va al parque,
se para delante de la juguetería,
y su abuela le compra un juguete nuevo
para que no arme una pataleta.

Y si empieza una colección de cromos,
a los dos días ya ha completado el álbum,
porque su tía le regala montones de sobres,
para que no arme una pataleta.

Coque no soportaría que otro niño
acabase la colección antes que él.

Uno de los juguetes de Coque
que más le llama la atención a Pupi
es una especie de monstruo
de patas articuladas.
Pupi se acerca a él, le da a un botón y…
¡Zas!, una bala sale disparada.

   –¡Mira, Nachete, un pistosaurio!
–exclama Pupi, entusiasmado.

–¡Eres tonto! –le dice Coque–.
No es ningún dinosaurio,
es una nave de *La guerra de las galaxias.*
    –De tonto, nada –lo defiende Blanca–.
Es muy listo, porque esa nave parece
un dinosaurio y dispara como una pistola.

A Coque le fastidia un montón
que Blanca haya salido en su defensa,
porque es la niña que más le gusta de la clase.
Siempre le ha gustado.
Pero, desde que llegó Pupi,
solo tiene ojos para él.

Pupi vuelve a disparar la nave otra vez.

—¡Déjala! —le ordena Coque rabioso—.
¡Esa nave es mía!

Pupi la deja y se dirige, fascinado,
hacia un enorme peluche.

–¡Y el perro también es mío!
–vuelve a decirle con agresividad.

–Jo, ¿y para qué hemos venido entonces, si no nos dejas nada? –se queja Bego.

–Para jugar a Operación
–le responde Coque–.
Me pido primero.

Los niños se sitúan alrededor del juego.
Coque coge las pinzas y se dispone a operar.

Suena un timbrazo
y se enciende la luz roja.

   –¡Le ha tocado el cucharón!
–grita Pupi.

   –¡Mentira, no le he tocado el corazón,
bocazas! –le responde Coque.

   Y continúa intentándolo, tan fresco.

–Coque, no tengas morro.
Sí que lo has tocado
–se le encara Nachete.

–No lo he tocado.

–Entonces, ¿por qué ha sonado
el timbre? –pregunta Rosy.

   –Porque Pupi me ha empujado,
no ha valido.

Y de nuevo, otro timbrazo y la luz roja.

–¡Le ha tocado el *plumón*!

–exclama Pupi.

–¡Mentiroso!

¡Si ni siquiera sabes hablar!

No he tocado el pulmón.

–Déjalo, Pupi, que es un tramposo.

Vamos a jugar con el garaje

–le dice Blanca.

–No, que es mío –salta Coque.

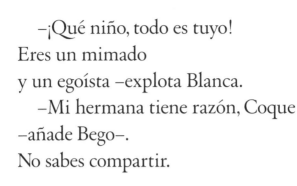

–¡Qué niño, todo es tuyo!
Eres un mimado
y un egoísta –explota Blanca.
    –Mi hermana tiene razón, Coque
–añade Bego–.
No sabes compartir.

Fastidiado por los comentarios,
Coque accede a pasarle
las pinzas a Nachete.

–Bueno, venga, te toca –le dice.

Nachete le saca al paciente
uno de sus pulmones.
A continuación, el corazón.

Cuando está a punto
de extraer el hígado,
Coque, que no soporta perder,
le da un codazo y suena el timbre.

–¡Tramposo! ¡Me has empujado!
–protesta Nachete.

   –No te he empujado, has fallado.

–Déjalo, Nachete, vente a jugar
al Twister con nosotros –le propone Bego.

Pero Coque exclama rabioso:
–¡Es mi juego, y si quiero, no os lo dejo!

–¡Jopeta, no podemos *agujar* a nada!
–exclama Pupi.

–Déjalo, que juegue él solo.

No necesitamos sus juguetes.
Podemos jugar a indios y vaqueros
–propone Blanca.

–Me pido ser el sheriff –dice Nachete.

–Y yo el volante del félix –añade Pupi.

–Ja, ja. ¿Y eso qué es? –se burla Coque.

–El ayudante del sheriff –aclara Bego–. Además, ¿a ti qué más te da?

Coque trata de impresionarlos
sacando juguetes cada vez más sofisticados.
Pero ellos están inmersos en su juego
y no le hacen ni caso.

Coque, celoso de lo bien
que se lo están pasando,
trata de fastidiarlos
atropellándolos con su moto a batería.

–¡Eres tonto, Coque, para ya!
–protesta Blanca.
    Pero Coque, embalado,
se pone a dar unos gritos terribles,
de auténtico salvaje.
    –¡Ay, qué bruto, me has lastimado!
–se queja Rosy.

Claro que, en lugar de detenerse,
sus quejas lo envalentonan,
y empieza a perseguirlos
para darles collejas y azotes.

   –¡Huyamos de Mano Larga!
–grita Nachete.

Coque está cada vez más furioso
porque siente que lo dejan de lado,
y acorrala a Pupi. Este está tan asustado
que su botón se vuelve morado.
Y las palabras se le amontonan en la boca.

–¡*Coscorro, coscorro!*
¡Mano Parda me quiere pelar!
–grita asustado.

–Ja, ja. Te voy a pelar como a una gallina
y te voy a fundir ese semáforo.

Pupi no puede soportar
que Coque le aplaste su botón,
y se pone tan nervioso
que sus antenas empiezan a girar
como las hélices de un avión.

–¡*Coscorro!* Mano Parda
me quiere hundir el *metáforo* –grita.

De pronto,
ya no están en el cuarto de Coque,
sino dentro de un viejo salón
del oeste americano.

Unos cuantos cowboys juegan
a las cartas y beben sus jarras de cerveza.
Pero enseguida llega otro cowboy,
con ganas de armarla,
y empieza a fastidiarlos
con sus bravuconerías y amenazas.

Como no le hacen caso,
el matón agarra a uno por el cuello
y lo levanta de su silla como si fuera
una marioneta de papel.

Entonces,
Coque se da cuenta
de que el matón
es idéntico a él.
Tiene su misma cara.
Sus ojos. Su nariz. Su pelo.
Hasta la cicatriz
de la mejilla.
¿Cómo es posible?

Muy preocupado,
Coque se toca la cara
para comprobar que sigue intacta.
Inmediatamente,
siente una gran indignación.
¿Por qué ese tipo tan bruto
y tan horrible es idéntico a él?
¿Por qué no tiene la cara
de Nachete o la de Pupi?

51

Entonces recuerda su comportamiento
y piensa que quizá tenga algo que ver.
¿Habrá sido él tan horrible con sus amigos
como ese matón con los cowboys?

Ahora ya no está indignado,
sino avergonzado.
¿Y si sus amigos descubren
que ese tipo se parece a él
tanto como Bego a Blanca?

Coque no sabe qué hacer,
está desconcertado.
  Por fin, armándose de valor,
se acerca al cowboy para decirle:
  –Eres un matón de tres al cuarto.
Y un abusón. Deberías disculparte.

En ese momento,
el viejo salón del oeste
desaparece como por encanto.
Y Coque está de nuevo en su cuarto,
con sus amigos.

56

–¿Puedo jugar con vosotros?
–les ruega–. No os voy a pegar.
Y podéis coger todos mis juguetes.
En serio.

Sus amigos comprenden
que Coque está arrepentido
y acceden a jugar con él.
Los seis juntos se lo pasan en grande.
Juegan al Twister y a Operación;
después, construyen una ciudad
que ocupa todo el suelo…

... y cuando empieza
a anochecer, juegan a las tinieblas.
La tarde se les pasa en un santiamén.

Cuando vienen a buscarlos,
ninguno se quiere marchar.

Coque, que ha prometido
ser generoso a partir de ahora,
le regala un muñequito a cada uno.

TE CUENTO QUE MARÍA MENÉNDEZ-PONTE...

...*vive la mayor parte del tiempo en las nubes. Sí, sí, como lo oyes: desde pequeña, en cuanto se descuidaba, su cerebro empezaba a idear historias, números de circo y un montón de aventuras. A veces, le ocurría incluso en medio de la clase y, claro, se la cargaba. Pero toda esa imaginación le ha servido para escribir libros maravillosos, como este de Pupi.*

Pero María tiene otro truco: cuatro hijos a los que les gustan los cuentos tanto como a ella, y eso hace que, al final, se pase todo el día en las nubes buscando historias.

Hace poco recibió el Premio Cervantes Chico, uno de los más importantes en literatura infantil.

COQUE NO ES EL ÚNICO PERSONAJE DE EL BARCO DE VAPOR QUE NO QUIERE COMPARTIR SUS JUGUETES. EN **¡ES MÍO! DEVUÉLVEMELO** la gata Misha y Lorenzo Lagarto discutirán por un globo. Menos mal que al final todo acaba bien.

¡ES MÍO! DEVUÉLVEMELO
Philip Stanton
SERIE LA GATA MISHA, N.º 3

¡QUÉ DIVERTIDO ES VIVIR AVENTURAS EN LUGARES LEJANOS! Y SI NO, QUE SE LO DIGAN A PANTALEÓN, QUE **EN PANTALEÓN SE VA** viajará hasta el desierto, y no solo con la imaginación.

PANTALEÓN SE VA
Patxi Zubizarreta
EL BARCO DE VAPOR, SERIE AZUL, N.º 139

TODO EL MUNDO SE PELEA CON SUS AMIGOS DE VEZ EN CUANDO. EN **¡ÉL EMPEZÓ!** Asistirás a una divertidísima pelea, pero ¿quién empezó?

¡ÉL EMPEZÓ!
Grabriela Keselman / Pep Montserrat

Y SI QUIERES SEGUIR DISFRUTANDO CON LAS AVENTURAS DE PUPI Y SUS AMIGOS, NO TE PIERDAS **PUPI Y LOS FANTASMAS**, donde volverán a girar las antenas del extraterrestre, pero, esta vez, de miedo.

PUPI Y LOS FANTASMAS
María Menéndez-Ponte
SERIE PUPI, N.º 1